Bhuku ra Ellie re Zvinorema

Ellie's ~~My~~ Secret Diary

Henriette Barkow & Sarah Garson

Shona translation by Derek Agere

Svondo mangwanani 7.30

Mudikanwi Bhuku

Ndarota hope dzakashata manheru.
Ndanga ndichimhanya ... ndikamhanya. Kwaiva ne
taiga yanga ichindi dzingirira. Ndanga ndichimhanya
nekumhanyisa asi ndatadza kuitiza. Iyo taiga yacho
yainge ichiswedera pedyo ndobva ... ndamuka.

Ndakabata Flo mumawoko angu. Anoita kuti hana
yangu igutsikane. Anoziva zvirikuitika. Ndinomuudza.

Ndiri kuramba ndichirota hope dzakashata.
Kare zvenge zvisina kumbodaro.

Ndaiva ne shamwari dzakawanda - sa Sara na Jenny.
Sara akandikumbira Kuti ndiyende kuzvitoro asi ...

Kuchikoro kwenge kwaka shata pawango uya.
Ndinovenga   venga   NDINOMUVENGA!!!

Dear Diary

Had a bad dream last night.
I was running ... and running.
There was this huge
tiger chasing me.
I was running faster and faster but
I couldn't get away.
It was getting closer and then ...
I woke up.

I held Flo in my arms. She makes me feel safe
- she knows what's going on. I can tell her.

Keep having bad dreams.
Didn't used to be like that.

I used to have loads of friends - like Sara and Jenny.
Sara asked me to go to the shops but ...

School's been HELL
since SHE came.

I hate hate
HATE her!!!

Dear Diary

Went to Grandad's.
Lucy came and we climbed the big tree.
We played pirates.
School 2morrow.
Don't think I can face it.
Go to school and
see HER!

SHE'll be waiting. I KNOW she will.

Even when she isn't there I'm scared
she'll come round a corner.
Or hide in the toilets like a bad smell.
Teachers never check what's going
on in there!

If __ONLY__ I didn't have to go.
Flo thinks I'll be ok.

Svondo manheru 20.15

Mudikanwi Bhuku

Ndaenda kwa Sekuru.
Lucy akauya tikakwira zimuti.
Taka tamba mabhinya bhinya.
Chikoro mangwana.
Handizive kuti ndikazvikwanisa here.
Kuenda kuchikoro nekumuona!

Anenge akandimirira. NDINOZIVA kuti anozviita.

Nyangwe asipo ndinotya kuti anouya.
Kana kuhwanda muchimbuzi
kunge mweya wakaipa.
Wadzidzisi havambo tarisa
kuti chi chirikuitika!

Dai ndai a enda. Flo anofunga
kuti zvicharurama.

Muvhuro mangwanani 7.05

Ndarota hope dziya zvakare.
Asi iye zvinho anga ari IYE anga achindi tandandisa.
Ndaedza kutiza asi aramba achiswedera pedyo nerwoko
rwake ruri pamapfudze angu … ndobva ndamuka.

Ndiri kunzwa kuda kurutsa asi ndadya chikafu
chemangwanani, saka amai havana kumbo funga
kuti pane chaipa. Handikwanise kuti nditaurire
amai - zvinobva zvashata. Handitaurire munhu.
Vanozofunga kuti ndirifuza.

Kungoti iye musikana
uyu nezvaanondiita.

I had that dream again.
Only this time it was HER who was chasing
me. I was trying to run away but she kept
getting closer and her hand was just on my
shoulder ... then I woke up.

I feel sick but I made myself eat
breakfast, so mum won't
think anything's up.
Can't tell mum – it'll just
make it worse.
Can't tell anyone.
They'll think I'm soft
and I'm not.
It's just <u>that girl</u>
and what SHE does to me.

Monday evening 20.30

Dear D

SHE was there. Waiting.
Just round the corner from school where nobody could
see her. SHE grabbed my arm and twisted it behind
my back.
Said if I gave her money she wouldn't hit me.
I gave her what I had. I didn't want to be hit.
"I'll get you tomorrow!" SHE said and pushed me over
before she walked off.
It hurt like hell. She ripped my favourite trousers!

Told mum I fell over. She sewed them up.
I feel like telling Sara or Jenny but they
won't understand!!

Glad I've got you and
Flo to talk to.

Muvhuro manheru 20.30

Mudikanwi D

Anga aripo. **Akandimirira.**
Pedyo neshkoro paasinga wonekwi nevanhu.
ANDI dhonza rwoko rwangu akandimonyorora.
Ati ndikamupa mari haazondirova.
Ndamupa mari yandenge ndiinayo.
Ndenge ndisingadi kurohwa.

"Ndichakubata mangwana!" akadaro
ndobva andisaidzira. Zvakarwadza.
Zvakabvarura mubhede vangu!

Ndakataurira amai kuti
ndakadonha. Amaia vakazo
asona. Ndinada kudzu Sara
kana Jenny asi havaso
zvinzwisisa!

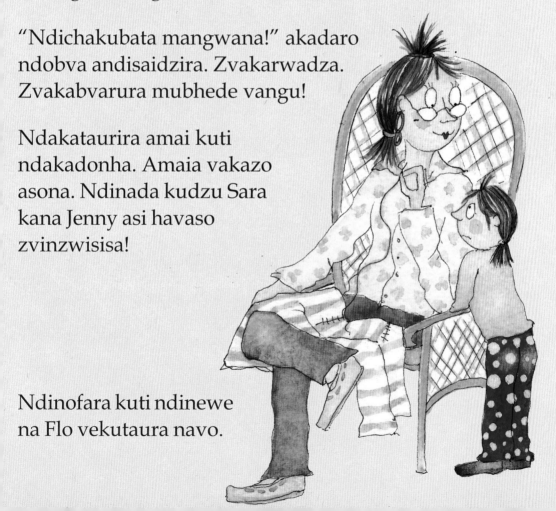

Ndinofara kuti ndinewe
na Flo vekutaura navo.

Ndatadza kurara manheru. Ndango tambara zvangu.
Ndenge ndichitya kurara. Ndenge ndichitya kurota
hope dziya zvakare.

ANENGE akandimirira. Sei achingo dherera INI?
Handina zvandakumutadzira.
Ndazongo batwa nehope, ndazomutswa naamai.

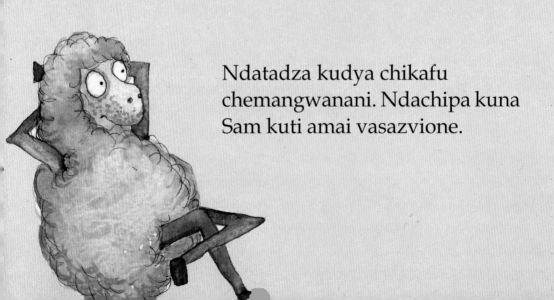

Ndatadza kudya chikafu
chemangwanani. Ndachipa kuna
Sam kuti amai vasazvione.

Couldn't sleep last night.
Just lay there. Too scared to go to sleep.
Too scared I'd have that dream again.
SHE'll be waiting for me. Why does she always
pick on ME? I haven't done anything to her.
Must have dropped off, cos next thing
mum was waking me.

Couldn't eat breakfast.
Gave it to Sam so mum wouldn't notice.

Chipiri manheru 20.00

Andi teera papera chikoro.
Andi dhonza bvudzi rangu.
Ndange ndichida kuchema
asi ndawona kuti angabva
aita manyemwe.

"Une mari yangu here?" akabvunza.
Ndakazunguza musoro.
"Ndotora ichi," akan'ara, akabvuta bhegi
rangu, "kusvikira vandipa mari yangu."

Ndingade kumbomurova! Ndinonzwa
kumbomurova chibhakera! Ndoita sei?
Handinga murove nokuti
muhombe kwandiri.

Handinga kumbiri amai kana baba mari
nokuti vanoda kuziva kuti ndeyechi.

Tuesday evening 20.00

SHE followed me out of school – all big and ~~tuff~~ tough.
SHE pulled my hair. Wanted to scream but I didn't want
to give her the satisfaction.
"You got my money?" SHE spat at me.
Shook my head. "I'll have this," SHE snarled, snatching
my PE bag, "til you give it to me."
I'd love to give it to her! Feel like punching her fat face!
What can I do? I can't hit her cos she's bigger than me.

I can't ask mum
or dad for the money
cos they'll want to
know what it's for.

Bhuku ndaita zvinhu zvakaipa.

Zvakaipa zvikuru!

Amai vakazviziwa hameno kuti vanoita sei.
Asi ndatopinda mudambudziko guru - chokwadi.

Nezuro manheru ndakaona bhegi remari ra amai riri
pa tafura. Ndenge ndiri ndega ndobva ndatora £5.

Ndichaidzorera nekukasika.
Ndicha chengeta mari yandinopuhwa
ne vabereki vangu.
Ndichaedza kuti ndidzosere mari.

Ndino daira kuti amai hava zvione.

Vangazotsamwa zvikuru!

Diary I've done something bad.

Really bad!

If mum finds out I don't know what she'll do.
But I'll be in big trouble - for sure.

Last night I saw mum's purse on the table.
I was on my own and so I took £5.

 ←flo

I'll put it back as soon as I can.
I'll save my pocket money.
I'll try and earn some money.

Hope mum doesn't miss it.

She'll go mad!

Nhasi ndiro zuva rakaipa rehupenyu hwangu!!

Poshi - ndatukwa nekuti ndasiya mbatya dze PE.
Piri - handina kuita homework yangu.
Tatu - ANGA ari pa gedhi - akandimirira.
Aka monyorora rwoko rwangu ndobva atora
mari. Akarasa bhegi rangu mumdhaka.
China - ARI kuda imwe mari.

Handi kwanise kuwana imwe ...
Ndakaba mari kuna amai.
Handizive zvekuita.

Dai ndisina kuzvarwa!

Wednesday evening 19.47

Handisikubvuma.
Amai vakuzvziwa!!

Vange vachida kuziva kuti pane ambowona
£5 yavo here. Tese tati aiwa. Ndai zoti kudii?

Handisi kufara nezvandaita. Ndinovenga nyaya
dzekunyepa. Amai vati vanondiendesa kuchikoro.
Ndinenge ndiri mushe kusvikira nguva
yekuenda kumba.

I can't believe it.
Mum's found out!!

She wanted to know if anybody
had seen her £5 note.
We all said no.
What else could I say?

I feel bad, really bad. I hate lying.
Mum said she's taking me to school.
At least I'll be safe til home time.

On the way to school mum asked me if I took the
money.
She looked so sad.
I had thought of lying but seeing her face
I just couldn't.
I said yes and like a stupid idiot burst into tears.

Mum asked why?
And I told her about the girl and what she'd been
doing to me. I told her how scared I was.
I couldn't stop crying.
Mum held me and hugged me.

When I'd calmed down, she asked,
if there was anyone at school
I could talk to?
I shook my head.
She asked if I would
like her to talk to
my teacher.

China manheru 18.30

Tiri kuenda kuchikoro amai vandibvunza kuti ndakatora
mari here. Vanga vachiratidza kusurukirwa.
Ndambofunga kunyepa asi pandaona chiso chavo
ndabva ndatadza kunyepa.
Ndakadavira ndichiti hongu ndobva ndatanga kuchema.

Amai vakabvunza kuti sei ndakatora mari?
Ndobva ndavaudza nezvemusikana uyo
anonditiyisidzira. Ndakaudza amai nekutya
kwandinoita uyo musikana.
Ndakatadza kunyarara kuchema.
Amai vakandimbundira.

Ndanyarara, vakandibvunza, kuti hapana
munhu kuchikoro vandikataure naye?
Ndakadzungudza musoro.
Vakabvunza kuti vanga taure
nemudzidzisi vangu.

Friday morning 6.35

Dearest Diary

Still woke up real early but

I DIDN'T HAVE THAT DREAM!!

I feel a bit strange. Know she won't be in school - they suspended her for a week. What if she's outside?

My teacher said she did it to others - to Jess and Paul.

I thought she'd only picked on me.
But what happens if she's there?

Chishanu mangwanani 6.35

Mudikani Bhuku

Ndakasika kumuka asi

HANDINA KUROTA HOPE DZIYA!!

Ndinoziva kuti haasi kuchikoro -
vamudzinga kwe svondo rose.
Ko aka ndimirira panze?

Mudzidzisi vangu varikuti musikana uyu
anga achityisidzira vamwe - Jess na Paul.

Ini ndaifunga kuti ari kuderera ini.
Asi chii chinoitika kana aripiko?

Chishanu manheru 20.45

Chokwadi ange asipo!!!
Ndakataura nemudzimai anemoyo wakanaka akati
nditaura naye nenguva yandinenge ndichida.
Akati kana paine munhu ari kutyisidzira,
unofanira kutaurira mumwe munhu.
Ndakaudza Sara na Jenny. Sara akati zvakaitika kwa
airi kuchikoro chake chekudara. Yakange isi nyaya
yemari asi mukomana aingo muderera.

Tichaedza kuti tibatsirane kuchikoro kuti tisapfumburirwa.
Pamwe zvinga nake. Ndasvika kumba amai vange
vabika chikafu changu chandifarira.

She really wasn't there!!!
I had a talk with a nice lady who said I could talk to
her at any time. She said that if anyone is bullying
you, you should try and tell somebody.
I told Sara and Jenny. Sara said it had happened to her
at her last school. Not the money bit but this boy kept
picking on her.

We're all going to look after each other at school so
that nobody else will get bullied. Maybe it'll be ok.
When I got home mum made my favourite dinner.

Mugovera mangwanani 8.50

Mudikani Bhuku

Hakuna chikoro!!   Hakuna hope dzakaipa!!

Ndakatarisa pa internet ndikaona paine nhau zhinji
dze kupfumburira. Handai mbofunga kuti zvinoitika
asi zvinoitika nguva dzose. Nyangwe kune vanhu
vakuru ne hove.

Unoziva kuti hove dzinofa nedambudziko
rekufumburirwa? Kune nzira ne mabato
anobatsira nyaya idzodzi - kune vanhu,
kwete hove!!

Dai ndaiziva!

Saturday morning 8.50

Dear Diary
        No school!!   No bad dreams!!
Had a look on the net and there was loads about
bullying. I didn't think that it happened often
but it happens all the time! Even to grown-ups
and fishes. Did you know that fishes can
die from the stress of being bullied?
There are all kinds of helplines
and stuff like that
- for people, not fishes!!

I wish I'd known!

Mugovera manheru 21.05

Baba vakaenda neni na Sam kundoona
mufananidzo. Mufananidzo uyu wainge
uchisekesa. Takaoma nekuseka.

Sam ainge achida kuziva kuti sei ndisina
kumuudza zvenge zvichiitika.

"Ndinga dai ndakamurove!" akadaro Sam.
"Vaibva vangofanana naye!" ndakadaro.

Dad took me and Sam to see a film. It was really funny.
We had such a laugh.
Sam wanted to know why I never told him about what was
going on.
"I would have smashed her face!" he said.
"That would just have made you a bully too!" I told him.

What Ellie found out about bullying:

If you are bullied by anyone in any way IT IS NOT YOUR FAULT!
NOBODY DESERVES TO BE BULLIED!
NOBODY ASKS TO BE BULLIED!

There are many ways in which somebody can be bullied.
Can you name the ways in which Ellie was bullied?
Here is a list of some of the ways children are bullied:
   - being teased
   - being called names
   - getting abusive messages on your mobile phone
   - getting hate mail either on email or by letter
   - being ignored or left out
   - having rumours or lies spread about you
   - being pushed, kicked, shoved or pulled about
   - being hit or punched or hurt physically in any way
   - having your bag or other belongings taken and thrown about
   - being forced to hand over money or your belongings
   - being attacked because of your race, religion or the way you speak or dress

Ellie found that it helped to keep a diary of what was happening to her.
It's a way of keeping a record of dates and times when things occurred.
It's also a way of not bottling everything up. It is important that you try
and tell somebody what is going on.
Maybe you could try talking to a friend who you trust.
Maybe you could try talking to your mum or dad, sister or brother.
Maybe there is a teacher at school who you feel comfortable talking to.
Most schools have an anti-bullying policy and may have somebody
(like the kind lady Ellie mentions in her diary) to talk to.

Here are some of the helplines
and websites that Ellie found:

Helplines:

CHILDLINE 0800 1111
KIDSCAPE 020 7730 3300
NSPCC 0808 800 5000

Websites:

In the UK:
www.bbc.co.uk/schools/bullying
www.bullying.co.uk
www.childline.org.uk
www.dfes.gov.uk/bullying
www.kidscape.org.uk/info

In Australia & New Zealand:
www.kidshelp.com.au
www.bullyingnoway.com.au
ww.nobully.org.nz

In the USA & Canada:
www.bullying.org
www.pta.org/bullying
www.stopbullyingnow.com

If you want to read more about bullying there are many excellent books
so just check your library or any good bookshop.

Books in the *Diary Series*:
Bereavement
Bullying
Divorce
Migration

First published 2004 by Mantra Lingua
Global House, 303 Ballards Lane
London N12 8NP
www.mantralingua.com